CLUB DESIGN

daab

If nightclubs started out as secret dens with little more than a record player in sight, today the club concept has evolved into a meticulously planned venue highlighted by cutting edge design and state-of-the-art technology. The discotheque is said to find its roots during the Second World War, during which a great number of dance clubs with live jazz bands were closed down and banned by the political regime of that time. As a result, illicit cellars became the underground havens for jazz fans in which to listen to recorded music. The idea of devoting public spaces to pre-recorded music took flight, and it was not long before DJs had become an accepted and expected part of a night out. An emphasis on the interior design of these spaces was already patent by the sixties and seventies, when effects like strobe lighting and objects like the disco ball came to be considered emblematic of disco culture. As the fall of disco gave way to the rise of house music, pioneered by the Chicago music scene, a new aesthetic began to evolve in response to the raw electronic sounds, throbbing beats and squelching basslines. The frills and glitz were dropped in favor of unpolished, stripped down, and unsophisticated spaces that clearly reflected this 'warehouse' style. Since then, nightclub design has come a long way; today club venues come in all sorts of shapes, sizes, colors and flavors, combining past styles with new ones, or configuring entirely novel spaces through imaginative, cutting edge design. Historical, cultural, artistic and stylistic references inspire the most innovative design solutions, informing unique layouts and unusual landscapes often characterized by their integration of highly advanced lighting techniques and state-of-the-art sound systems. What started out as a handful of illicit cellars has evolved into a myriad of sought-after venues marked by their glamour, exclusiveness or more casual and intimate vibe. "Club Design" offers a selection of some of the best designed clubs around the world, putting on display the creations of both renowned and up-and-coming designers that have gained international recognition for the quality and impact of their designs.

Die Nachtclubs sind einst als heimliche Versammlungsorte entstanden, ausgestattet mit kaum mehr als einem Plattenspieler. Heute ist jeder Club bis ins kleinste Detail durchdacht, geprägt von Avantgardedesign und den neuesten technischen Errungenschaften. Die Ursprünge der Diskotheken sind wohl in der Zeit des Zweiten Weltkriegs zu suchen, als aufgrund der politischen Lage zahlreiche Tanzsalons mit Jazzkapellen schließen mussten. Als Reaktion darauf wurden illegale Kellerlokale zu geheimen Zufluchtsräumen der Jazzliebhaber, die dort die Aufnahmen ihrer Idole hörten. Als das öffentliche Abspielen aufgenommener Musik nicht mehr verboten war, wurde auch der Diskjockey zu einem unverzichtbaren Element des nächtlichen Vergnügens. Schon in den sechziger und siebziger Jahren achtete man dann mehr auf die Inneneinrichtung der Nachtlokale: Die Lichteffekte des Stroboskops und die Glitzerkugel wurden zu unverkennbaren Markenzeichen jeder Diskothek. Mit dem Abebben der Discowelle und dem Aufkommen der House-Musik, die ursprünglich aus der Musikszene in Chicago kam, begann eine neue Ästhetik Fuß zu fassen. Die rauen elektronischen Töne, pulsierenden Rhythmen und tiefen Bässe fanden ihren Niederschlag im Lagerhaus-Stil mit seinen ungestalten, kahlen und schmucklosen Räumen. Seitdem hat sich auf dem Gebiet des Club-Designs einiges getan. Heute findet man Clubs mit Einrichtungen in jeder erdenklichen Größe, Form und Farbe, Stile vergangener Epochen werden mit neuen kombiniert, und es entstehen völlig aktuellen Räume, die sich durch ihr originelles, bahnbrechendes Design auszeichnen. Die heutigen Innenarchitekten verarbeiten bei ihren Entwürfen historische und kulturelle Bezüge sowie künstlerische und stilistische Zitate, um einzigartige Kombinationen und außergewöhnliche Landschaften zu schaffen. Die Fortentwicklung in der Beleuchtungstechnik und der Einsatz modernster Tontechnik tragen das ihre zu einem unvergesslichen Gesamteindruck bei. Was einst in einigen verborgenen Kellerräumen begann, hat sich zu einer Vielzahl heißbegehrter Nachtlokale entwickelt, die für jeden Geschmack etwas bieten: Glamour, Exklusivität oder auch ein informelles bis intimes Ambiente. „Club Design" bietet eine Auswahl der Clubs mit dem besten Design weltweit. Vorgestellt werden nicht nur die Schöpfungen renommierter Designer, sondern auch die Kreationen vielversprechender neuer Talente, die sich durch qualitative and innovative Projekte bereits internationale Anerkennung verschafft haben.

C'est dans des antres secrets avec tout juste un reproducteur de disques à portée de main que les clubs nocturnes sont apparus, mais aujourd'hui le concept de club a évolué pour se transformer en un local méticuleusement programmé, au design d'avant-garde et à la technologie la plus avancée. La discothèque se serait implantée pendant la seconde guerre mondiale, lorsqu'un grand nombre de salles de danse avec des groupes de jazz jouant en direct ont été fermées et interdites par le régime politique de l'époque. Dès lors, des sous-sols illégaux se sont développés pour devenir des refuges clandestins où les amateurs de jazz écoutaient de la musique enregistrée. L'idée de consacrer des espaces publics à la musique préenregistrée n'a quasiment pas vu le jour avant que les DJs et leurs soirées ne deviennent les éléments incontestés et attendus d'une bonne sortie nocturne. Lorsque des effets comme les lumières stroboscopiques et des objets comme la typique boule de discothèque sont devenus des emblèmes de la culture de club dans les années soixante et soixante-dix, un changement radical du design intérieur de ces espaces devenait évident. Au départ, grâce à la scène musicale de Chicago, quand la musique house a remplacé la musique disco, une nouvelle esthétique a commencé à se développer en réponse aux sons électroniques crus, aux rythmes palpitants et aux basses intenses. Les décorations et les ostentations ont laissé le pas à des espaces bruts, dénudés et simples reflétant clairement le style " entrepôt ". A partir de là, le design des clubs a connu d'importants changements ; actuellement les locaux sont conçus de tout type de formes, de tailles, de couleurs et d'atmosphères, combinant l'ancien et le moderne ou proposant des espaces complètement novateurs grâce à un design imaginatif et avant-gardiste. Des références historiques, culturelles, artistiques et stylistiques inspirent les solutions de design les plus novatrices, dévoilant des compositions uniques et des paysages inhabituels, souvent caractérisés par l'intégration de techniques d'éclairage de pointe et de systèmes de son de dernière génération. Ce qui a commencé comme des sous-sols illégaux, s'est transformé en une myriade de locaux convoités et caractérisés par leur glamour, leur côté exclusif ou par une ambiance plus détendue et intime. " Club Design " propose une sélection de clubs au design les plus reconnus dans le monde et montre aussi bien les créations de designers de renom comme celles de nouveaux talents qui ont gagné la reconnaissance internationale grâce à la qualité et à l'impact de leurs projets.

Si los clubs nocturnos se originaron como antros secretos con poco más que un reproductor de discos a la vista, hoy el concepto de club ha evolucionado hacia un local meticulosamente programado, culminado por un diseño de vanguardia y por la tecnología más actual. La discoteca parece tener sus raíces en la Segunda Guerra Mundial, durante la cual un gran número de salas de baile con bandas de jazz en directo se cerraron y fueron prohibidas por el régimen político de la época. En consecuencia, sótanos ilícitos se convirtieron en refugios clandestinos para los amantes del jazz en donde se escuchaba la música grabada. La idea de dedicar espacios públicos a la música pregrabada tomó forma, no mucho antes de que los disc-jockeys se hubiesen convertido en una parte aceptada y ansiada de las fiestas nocturnas. Un énfasis en el diseño interior de estos espacios ya se hacía patente en la década de 1960 y 1970, cuando efectos como las luces estroboscópicas y objetos como la bola de discoteca llegaron a ser considerados signos emblemáticos de la cultura de club. Cuando la caída de la música disco dio paso al ascenso de la música house, de la que fue pionera la escena musical de Chicago, una nueva estética empezó a desarrollarse como respuesta a los crudos sonidos electrónicos, los ritmos palpitantes y las bases densas. Los adornos y la ostentación dieron paso a espacios toscos, desnudos y sencillos que reflejan claramente este estilo "almacén". Desde entonces, el diseño de clubs nocturnos ha sufrido grandes avances; actualmente, los locales se presentan con todo tipo de formas, tamaños, colores y aires, combinando estilos pasados con otros nuevos, o configurando espacios completamente novedosos a través de un diseño imaginativo y vanguardista. Referencias históricas, culturales, artísticas y estilísticas inspiran las soluciones de diseño más innovadoras, revelando composiciones únicas y paisajes inusuales, a menudo caracterizados por su integración de técnicas de iluminación altamente avanzadas y sistemas de sonido de última generación. Lo que empezó como unos cuantos sótanos ilegales se ha transformado en una miríada de locales codiciados caracterizados por su glamour, exclusividad, o un ambiente más informal e íntimo. "Club Design" ofrece una selección de algunos de los mejores clubs diseñados del mundo y muestra las creaciones tanto de diseñadores de renombre como de otros con un futuro prometedor, que han ganado reconocimiento internacional por la calidad y el impacto de sus proyectos.

Se i locali notturni sono nati quasi come antri segreti con un giradischi e poco altro, oggi il concetto di club si è evoluto, trasformandosi in un locale meticolosamente progettato, con un design d'avanguardia e le tecnologie più moderne. La discoteca sembra affondare le proprie radici nella Seconda Guerra Mondiale, quando numerose sale da ballo con orchestrine jazz dovettero chiudere perché proibite dal regime politico di l'epoca; in seguito al divieto, le cantine divennero rifugi clandestini per gli amanti del jazz dove ascoltare musica registrata. L'idea di dedicare spazi pubblici all'ascolto di musica registrata prese forma e acquistò sempre più consensi fino alla nascita della figura del dj, che divenne parte integrante e centrale del divertimento notturno. Negli anni sessanta e settanta si impose una particolare attenzione al design di questi spazi, ricercando particolari effetti come le luci stroboscopiche e le palle argentate che divennero emblemi della cultura del club. Quando il declino della disco music cedette il passo alla house, di cui Chicago fu pioniera, cominciò a svilupparsi una nuova estetica in risposta ai crudi suoni elettronici, ai ritmi palpitanti e alle basi concitate. La sovrabbondanza e l'ostentazione lasciarono spazio a ambienti essenziali e disadorni, che riflettevano chiaramente lo stile "magazzino". Da allora, il design dei locali notturni ha subito numerosi cambiamenti: attualmente essi presentano le forme, le dimensioni e i colori più diversi, combinando stili passati con nuove tendenze, o configurando spazi completamente nuovi attraverso un design fantasioso e avanguardista. Le soluzioni più innovative del design si ispirano a elementi storici, culturali, artistici e stilistici, rivelando composizioni uniche e paesaggi inusuali ma prestando anche particolare attenzione alle tecniche d'illuminazione più avanzate e ai sistemi per il suono di ultima generazione. Ciò che era iniziato come un fenomeno illegale relegato nelle cantine si è trasformato in un evento di massa che coinvolge miriadi di locali, da quelli glamour ed esclusivi a quelli più intimi ed informali. "Club Design" offre una selezione di locali notturni dal design particolare, ospitando i progetti di famosi architetti ma anche di giovani promesse del settore che hanno ottenuto riconoscimenti internazionali per la qualità e l'impatto dei propri lavori.

3DELUXE | WIESBADEN
COCOON
Frankfurt, Germany | 2004

ALEJANDRO DELGADO AND ALEJANDRO MONCADA | BOGOTÁ

MIRANDA LATINA
Bogotá, Colombia | 2003

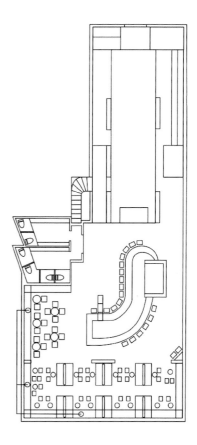

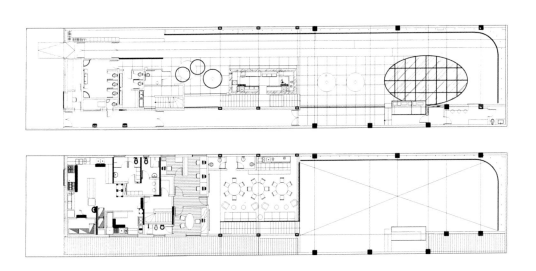

CONCRETE ARCHITECTURAL ASSOCIATES | AMSTERDAM
SUPPERCLUB CRUISE
Amsterdam, The Netherlands | 2004

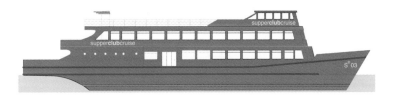

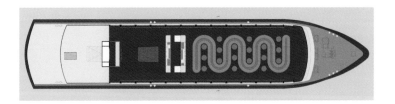

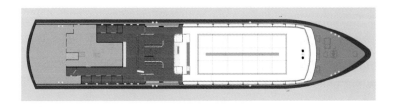

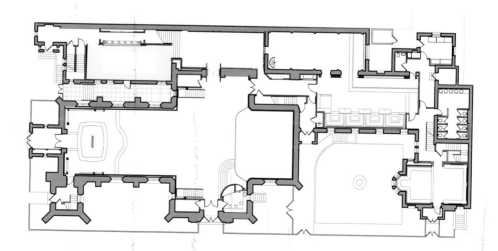

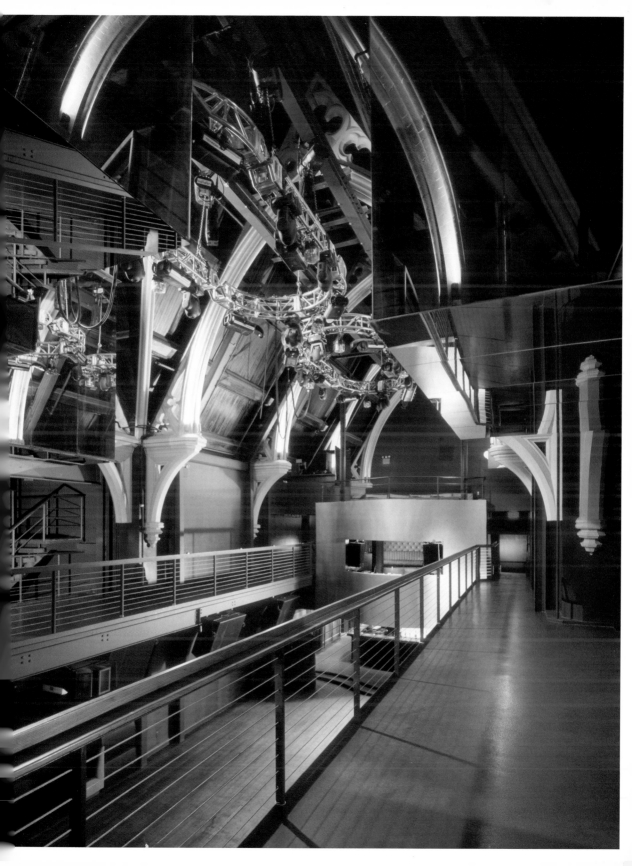

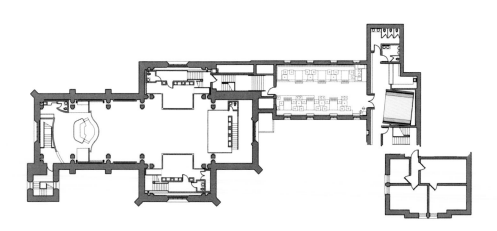

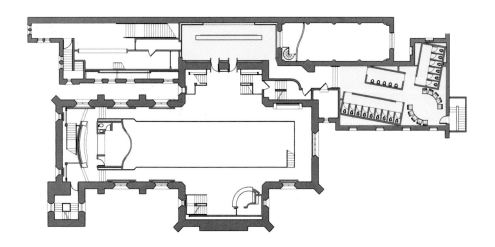

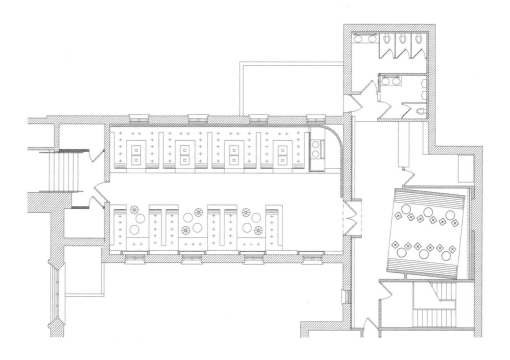

D-ASH DESIGN | NEW YORK
XL
New York, USA | 2003

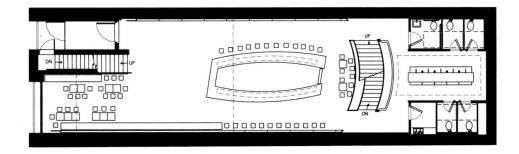

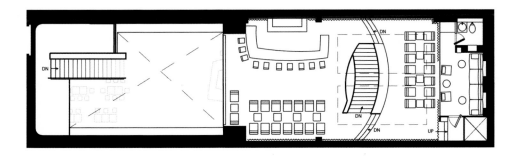

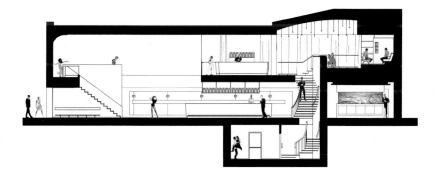

DARYL SCOTT | BANGKOK
MYSTIQUE NIGHTCLUB
Bangkok, Thailand | 2004

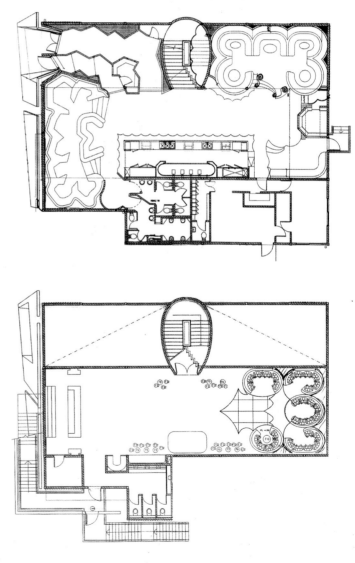

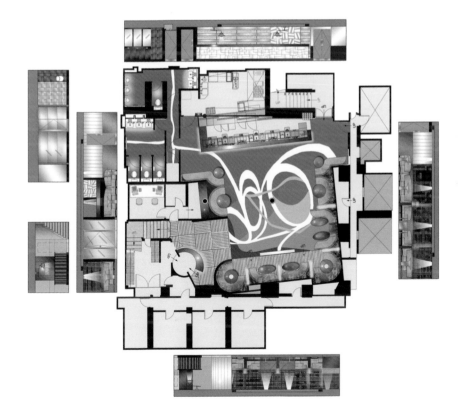

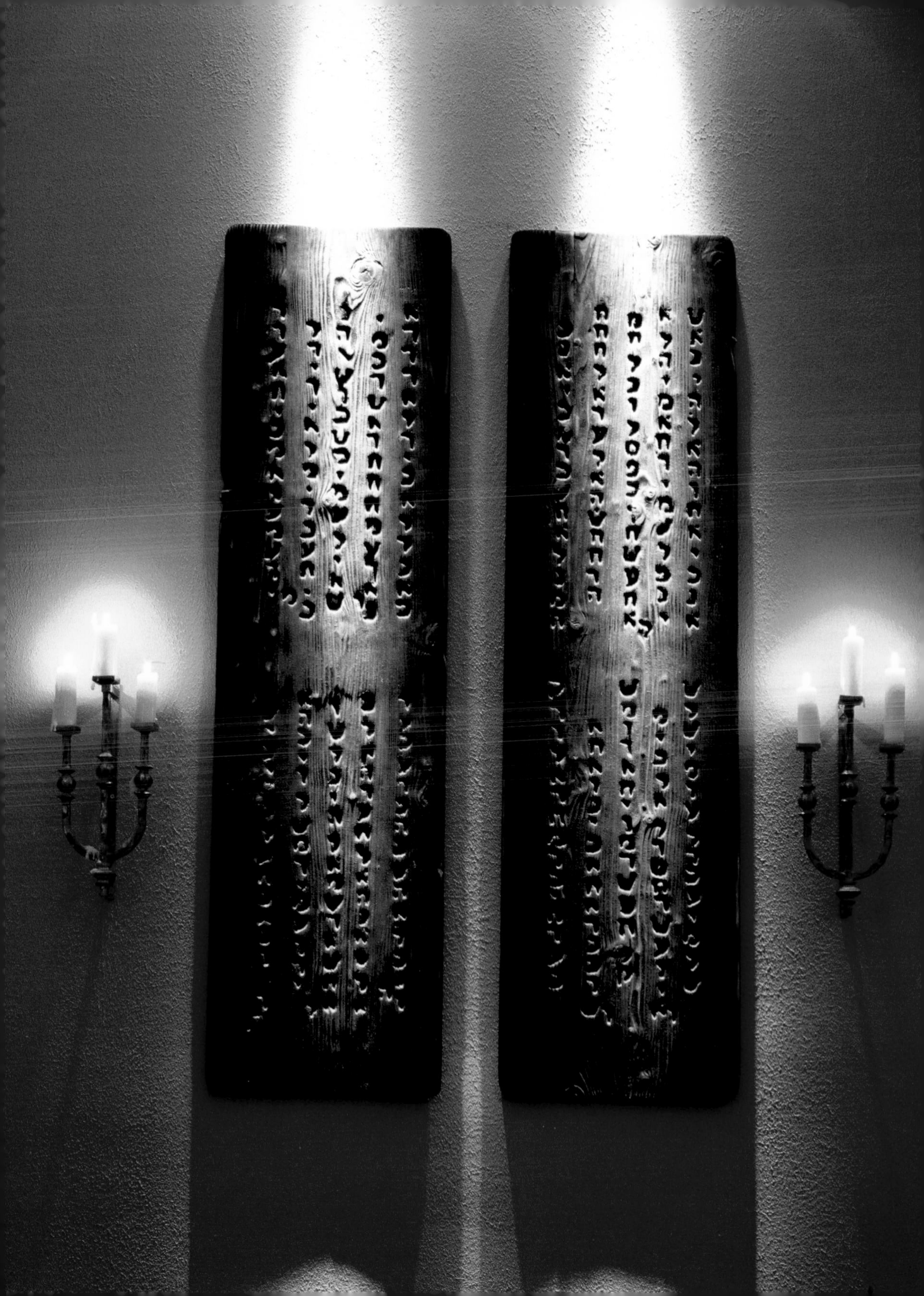

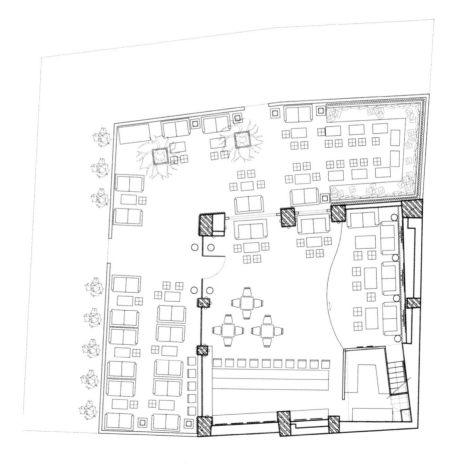

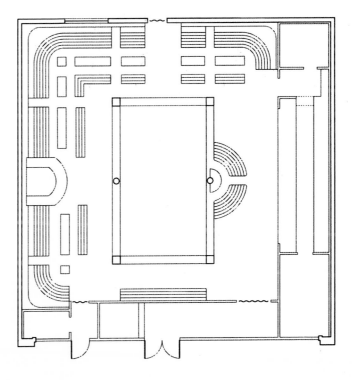

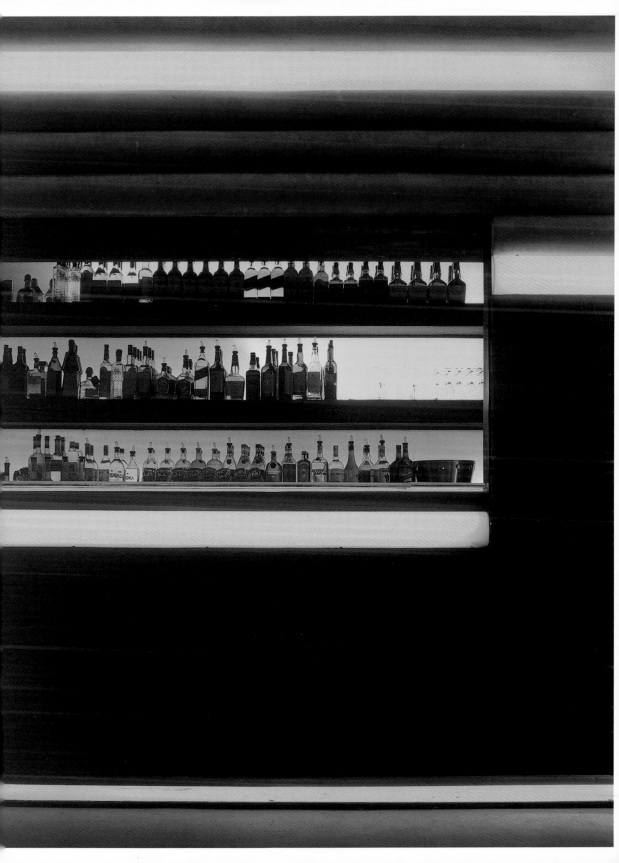

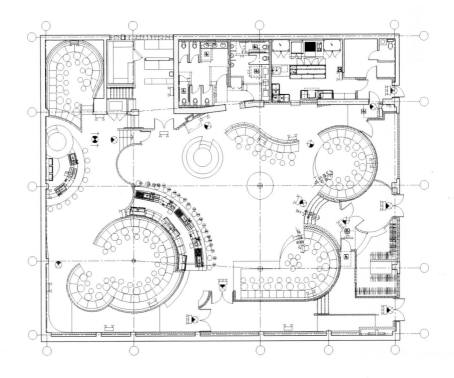

FANTASTIC DESIGN WORKS | TOKYO
AVALON
Tokyo, Japan | 2003

FELIPE ASSADI | **SANTIAGO**
BAR TUBO
Lima, Peru | 2003

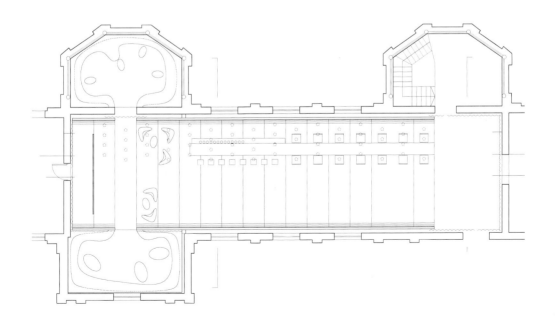

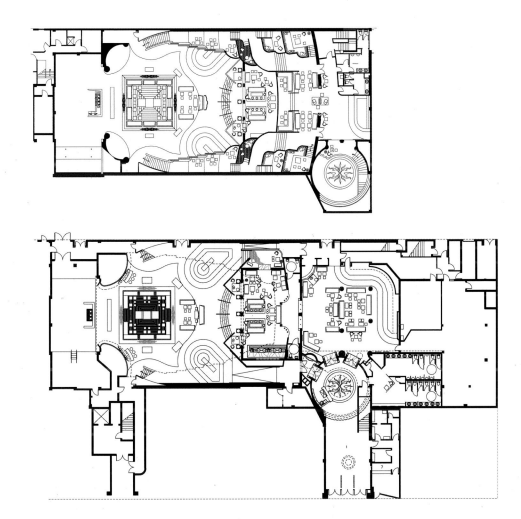

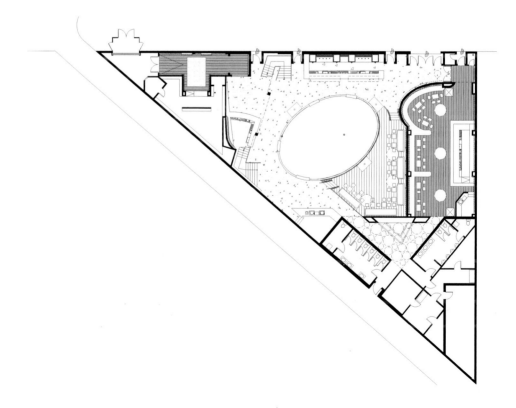

FUTUR-2 | BARCELONA
SHÔKO
Barcelona, Spain | 2004

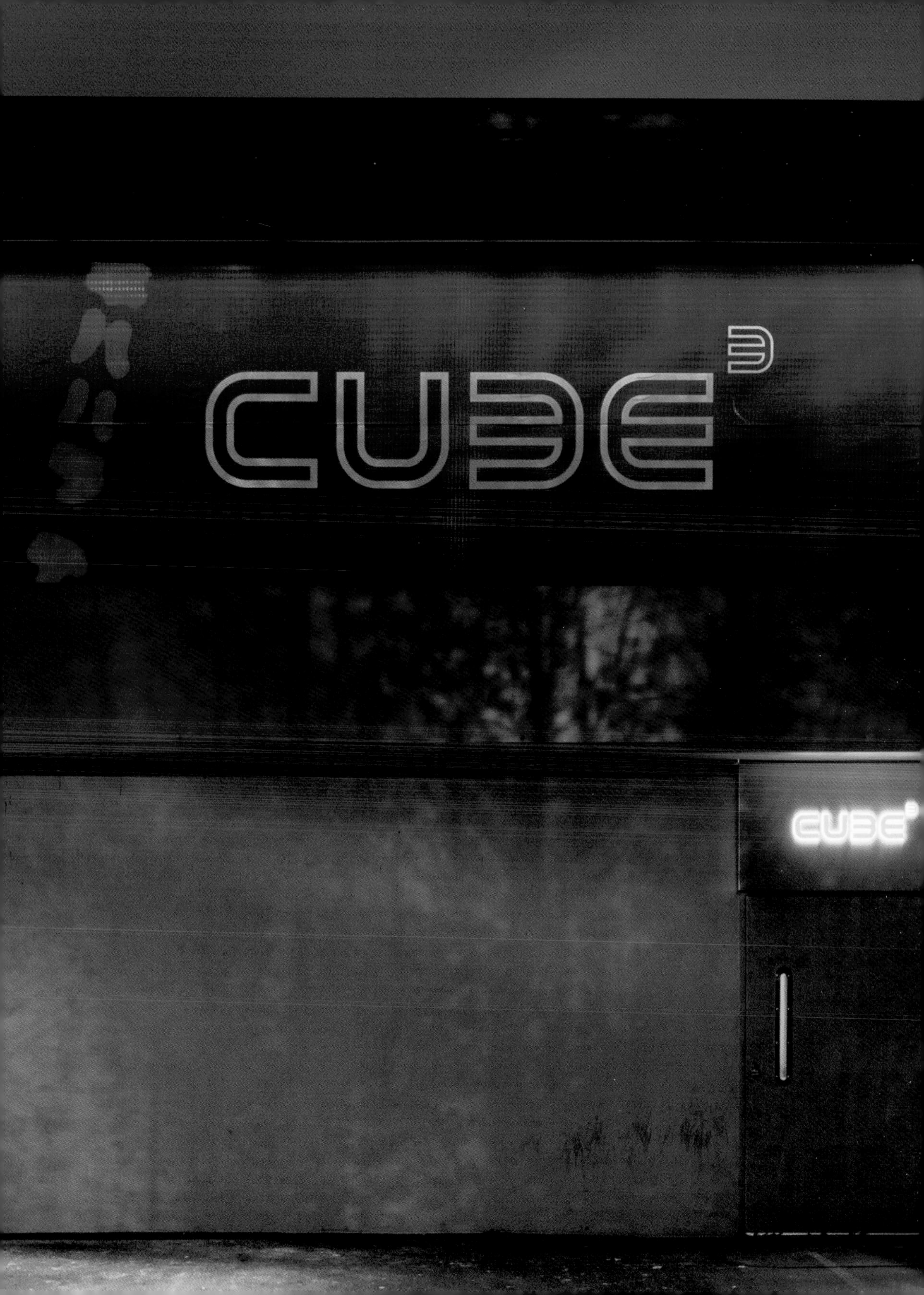
CUBE3
CUBE3

GRAVEN IMAGES | GLASGOW
CUBE
Mussleburgh, UK | 2001

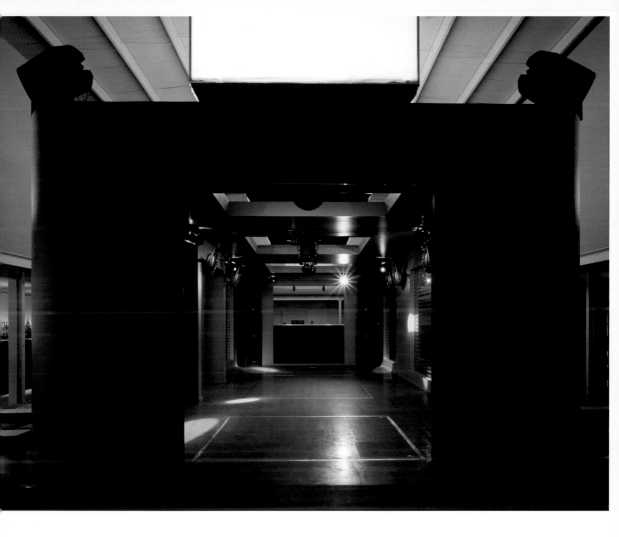

GRAVEN IMAGES | GLASGOW
ROOM AT THE TOP
Bathgate, UK | 2000

GRAVEN IMAGES | GLASGOW
SUB CLUB
Glasgow, UK | 2002

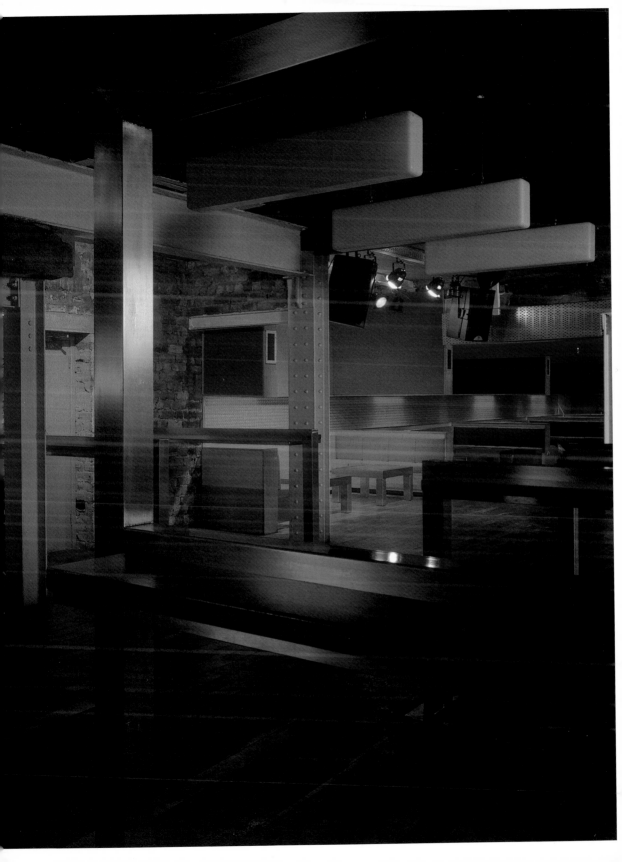

HANNES PRAKS + VILLEM VALME | TALLIN
CLUB TALLIN
Tallin, Estonia | 2002

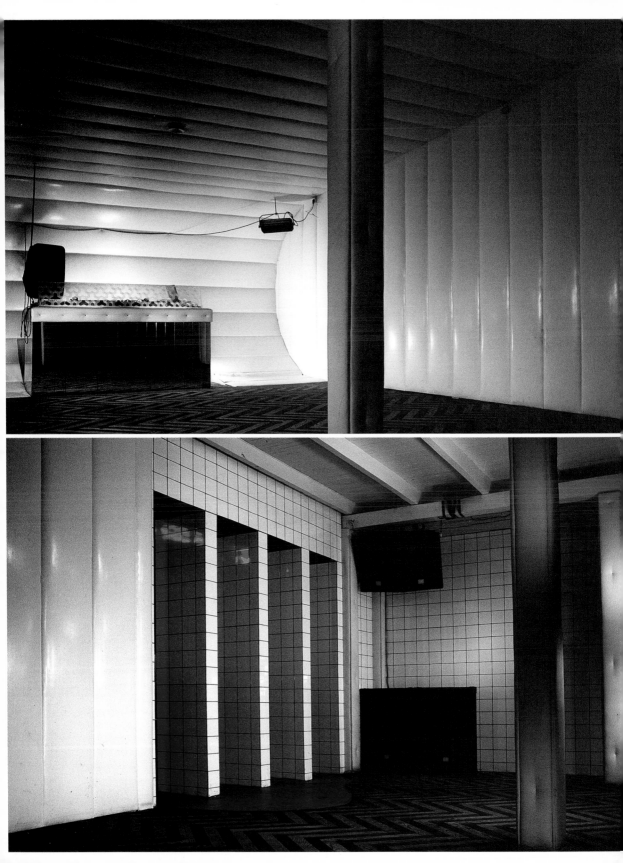

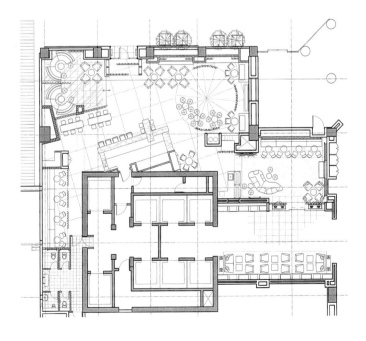

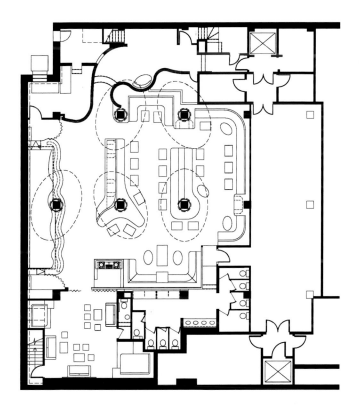

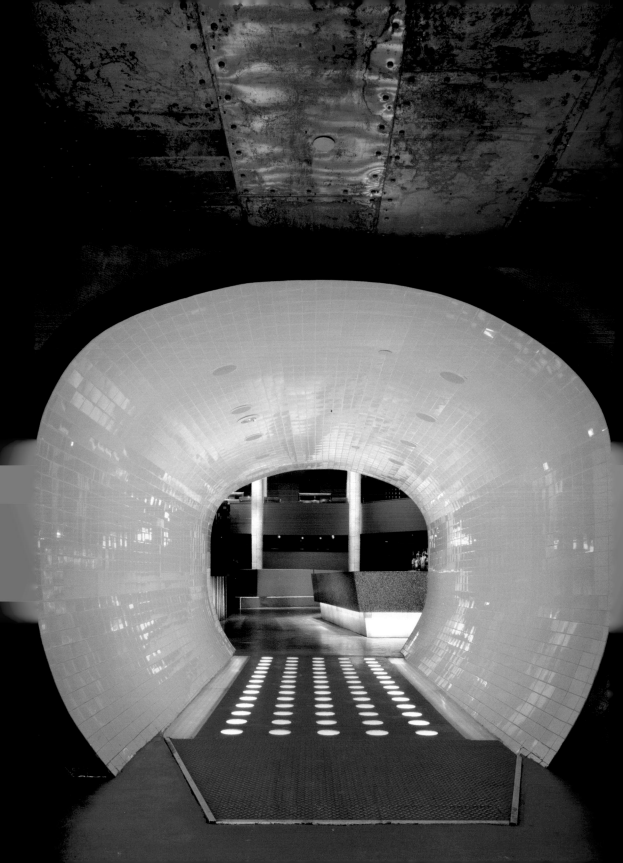

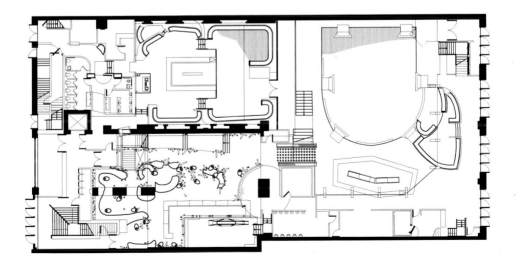

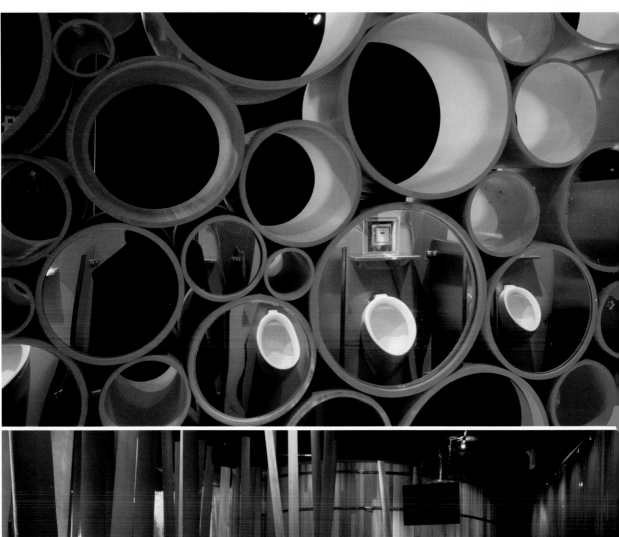

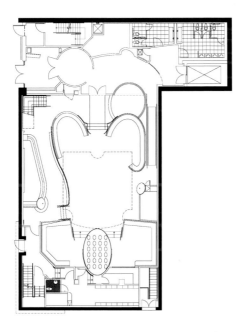
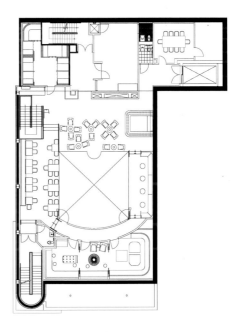

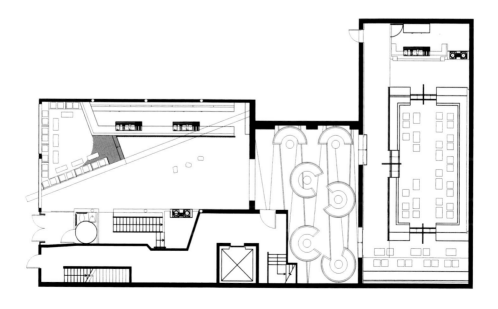

ISAY WEINFELD | **SÃO PAULO**
DISCO
São Paulo, Brazil | 2002

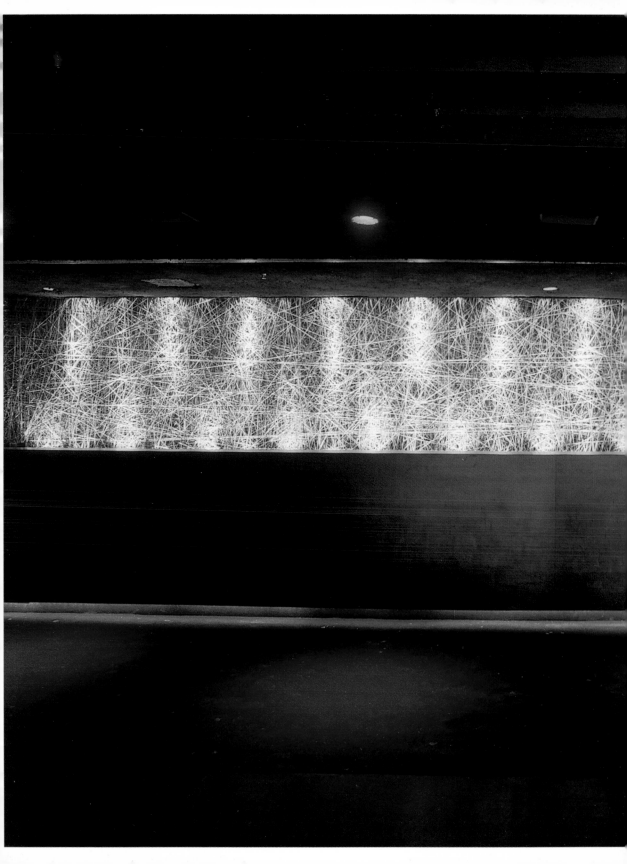

JOHANNES TORPE | COPENHAGEN
NASA
Copenhagen, Denmark | 2002

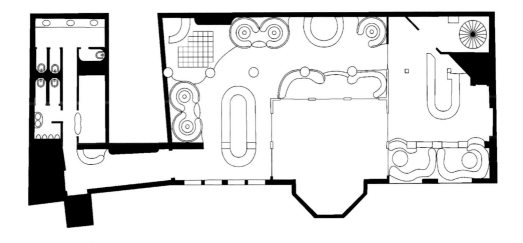

JONES & GREENWOLD | LAS VEGAS
ICE
Las Vegas, USA | 2003

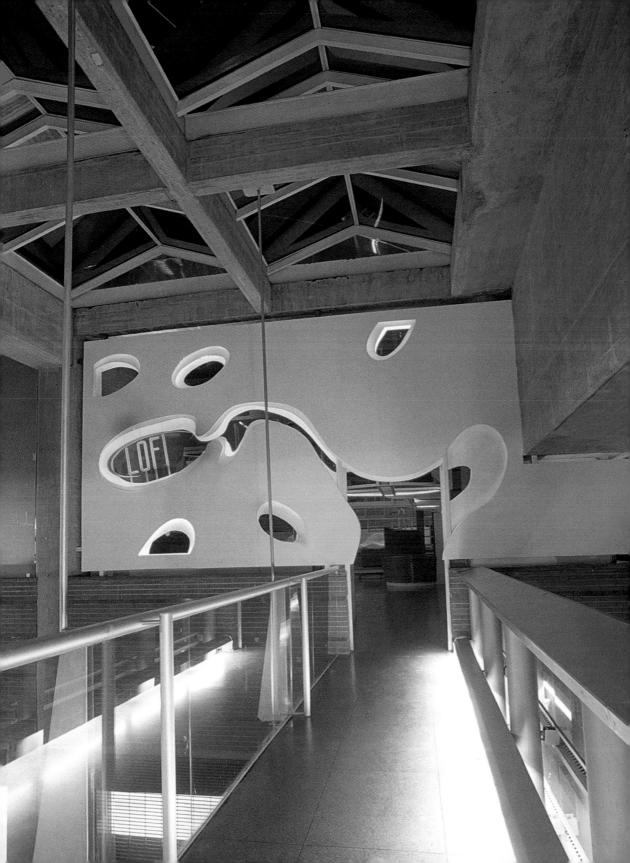

JUAN MORASSO | CARACAS
LOFT
Caracas, Venezuela | 2003

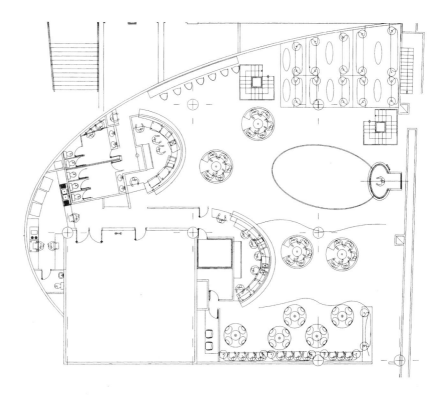

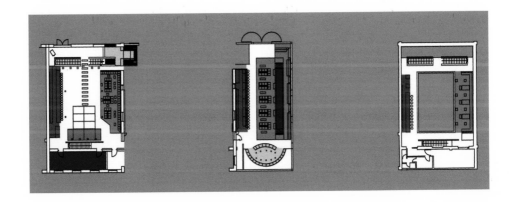

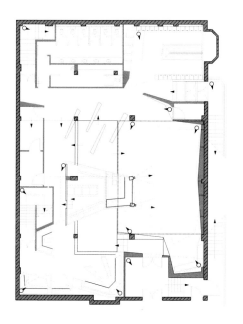

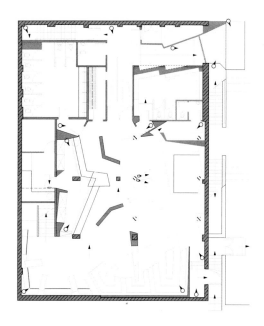

M41LH2 | HELSINKI
HELSINKI CLUB
Helsinki, Finland | 2003

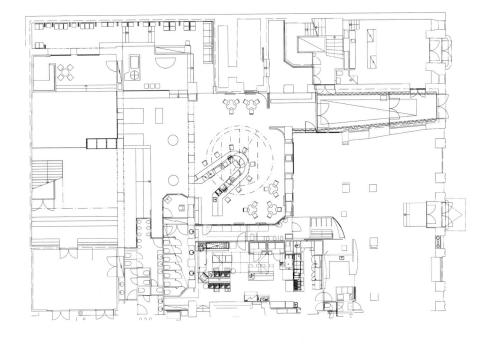

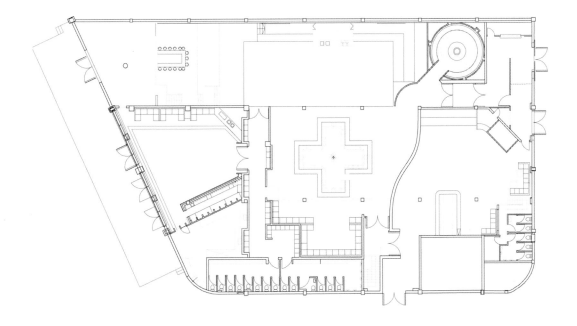

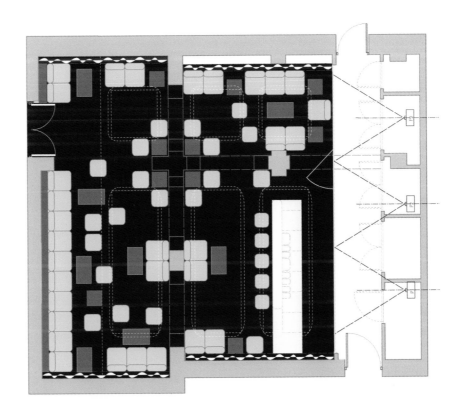

MUTI RANDOLPH | RIO DE JANEIRO
D-EDGE
São Paulo, Brazil | 2003

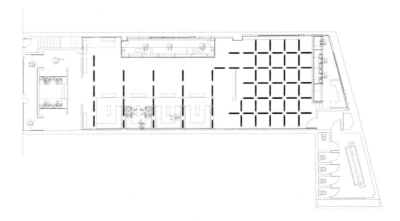

ORA-ÏTO | PARIS
LE CAB
Paris, France | 2001

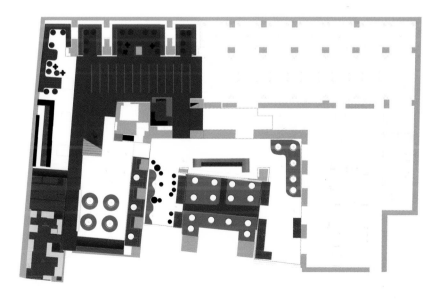

PATRICK JOUIN | **PARIS**
CHLÖSTERLI
Gstaad, Switzerland | 2004

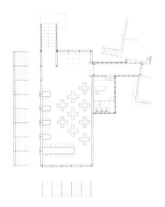

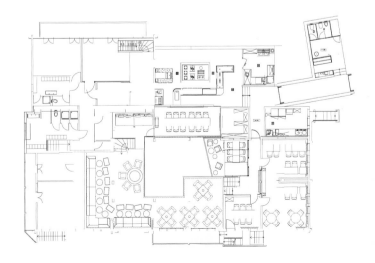

NOUVEAU CASINO
Paris, France | 2001

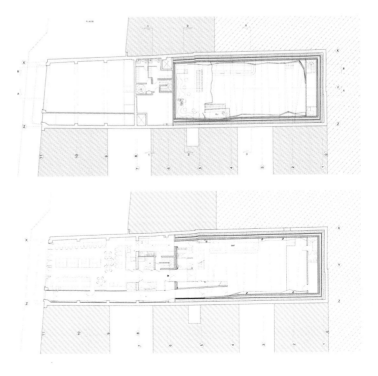

PHILIP JOHNSON / ALAN RITCHIE ARCHITECTS | NEW YORK
MARQUEE
New York, USA | 2004

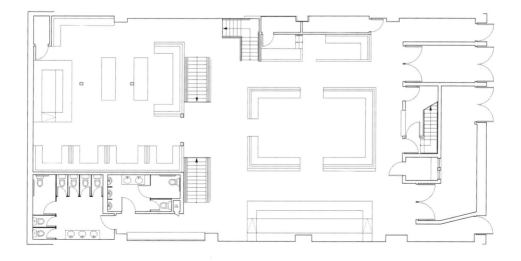

PLAZMA | VILNIUS
GRAVITY
Vilnius, Lithuania | 2004

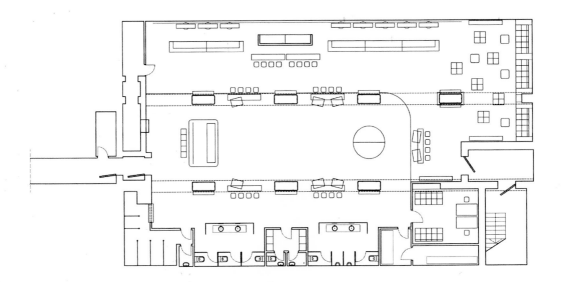

POWELL TUCK ASSOCIATES | **LONDON**
CHERRY JAM
London, UK | 2002

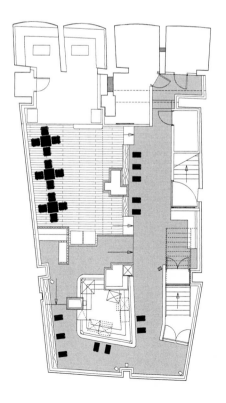

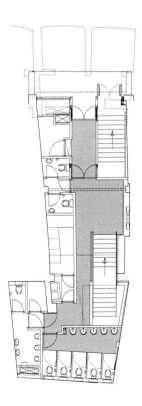

smooth...

w royale

rita

WINE

bottle 6.00/glass 2.0

(house sauvignon blanc or

n-bar music is part of the exclusive Cherry Picke

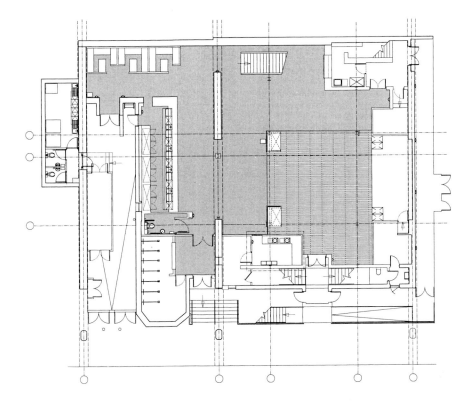

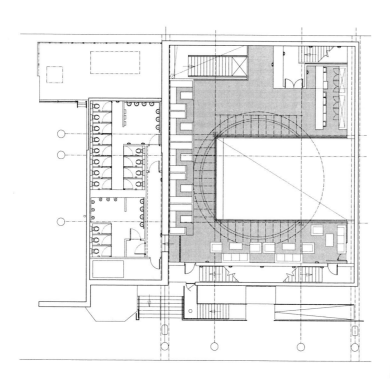

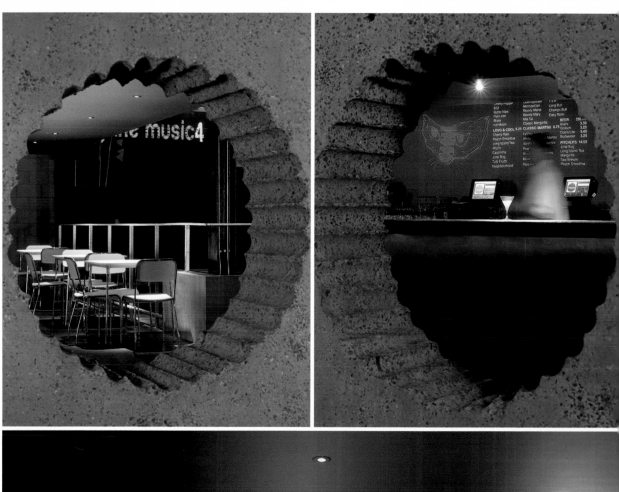

SLICK DESIGN & MANUFACTURING | CHICAGO
SOUND-BAR
Chicago, USA | 2002

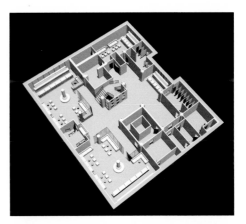

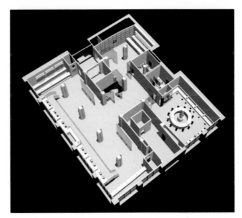

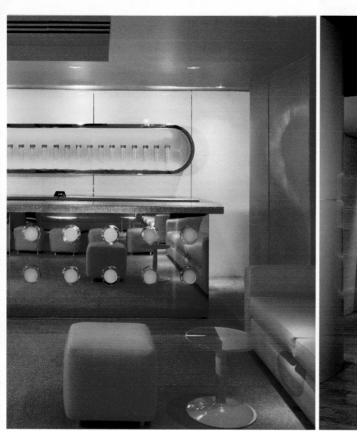

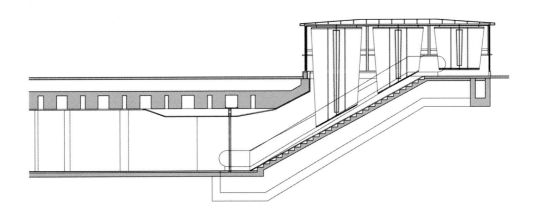

SUHAIL DESIGN STUDIO | **CHICAGO**
SONOTHEQUE
Chicago, USA | 2003

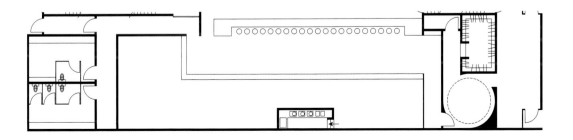

TIHANY DESIGN | NEW YORK
T-BAR
Milan, Italy | 2003

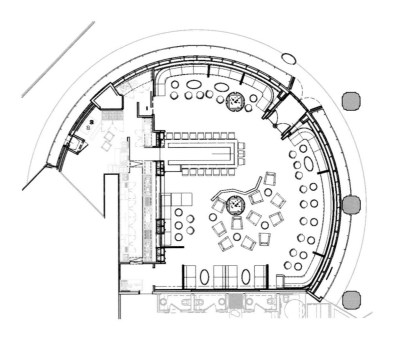

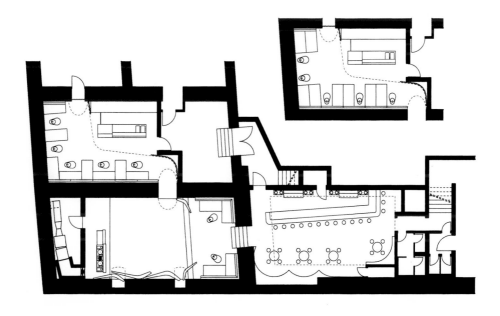

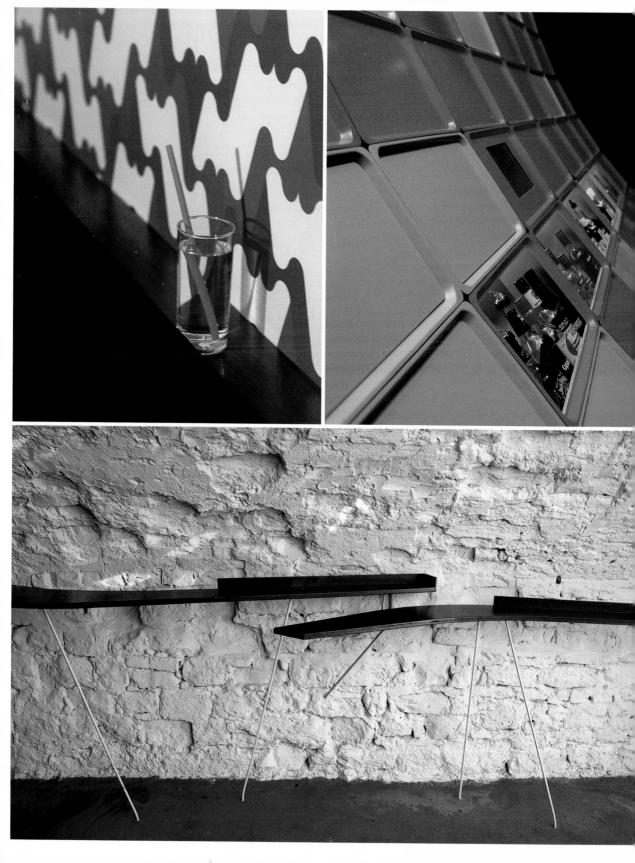

UNION NORTH | LIVERPOOL
MPV
Leeds, UK | 2003